Lucia Maddii, laureata in Pedagogia, è stata per lungo tempo docente in classi plurilingue ed ha operato come insegnante facilitatrice in laboratori linguistici rivolti ad alunni stranieri frequentanti la scuola primaria italiana. Ha lavorato come docente distaccata presso l'Agenzia Nazionale per lo Sviluppo dell'Autonomia Scolastica (ex IRRE) della Toscana occupandosi di formazione dei docenti di ogni ordine e grado sui temi dell'educazione interculturale, dell'accoglienza degli alunni stranieri e della didattica dell'italiano L2/LS sia in Italia sia all'estero. Su questi temi è stata coordinatrice di progetti europei e collabora con Università, Associazioni e Amministrazioni Comunali per la progettazione di iniziative di sostegno al successo scolastico degli alunni con cittadinanza non italiana. Attualmente è dirigente scolastico. Ha pubblicato numerosi articoli e materiali didattici anche multimediali per l'insegnamento dell'italiano a bambini stranieri.

Maria Carla Borgogni, laureata in Lettere Moderne, ha conseguito la certificazione in Didattica dell'italiano come lingua straniera ed è stata docente in classi plurilingue, insegnante facilitatrice in percorsi e interventi linguistici rivolti ad alunni stranieri frequentanti la scuola primaria e secondaria italiana. Attualmente è docente di scuola secondaria di primo grado, promotrice e coordinatrice di interventi didattici e laboratori di italiano come L2/LS. Si occupa della formazione dei docenti di ogni ordine e grado sui temi dell'accoglienza degli alunni stranieri e della didattica dell'italiano L2/LS. Consulente e referente per Centri di Documentazione e Amministrazioni locali progetta e coordina percorsi didattici e interventi rivolti ad alunni con cittadinanza non italiana. Ha pubblicato articoli e materiali didattici per l'insegnamento dell'italiano a bambini e ragazzi stranieri.

Un grazie speciale alle nostre famiglie e in particolare ai nostri figli Caterina, Daniele, Francesco e Matteo che ci hanno sostenuto con pazienza e affetto, e alle piccole Bianca e Chiara che ci hanno allietato con i loro sorrisi.

© Copyright edizioni Edilingua
Sede legale
Via Cola di Rienzo, 212 00192 Roma
Tel. +39 06 96727307
Fax +39 06 94443138
info@edilingua.it
www.edilingua.it

Deposito e Centro di distribuzione
Via Moroianni, 65 12133 Atene
Tel. +30 210 5733900
Fax +30 210 5758903

I edizione: luglio 2015
ISBN: 978-88-9935-804-4
Redazione: Laura Piccolo
Illustrazioni: Rossella Piccini
Musiche, arrangiamenti e registrazioni: *Mela Music*, Bussolengo (VR)
Voci: Scuola di Teatro *Spazio mio - Overlord Teatro*

Edilingua
sostiene
actionaid

Grazie all'adozione di questo libro, Edilingua adotta a distanza dei bambini che vivono in Asia, in Africa e in Sud America. Perché insieme possiamo fare molto! Ulteriori informazioni nella sezione "Chi siamo" del nostro sito.

Stampato su carta priva di acidi, proveniente da foreste controllate.

Ringraziamo per la collaborazione e gli spunti offerti nella fase di elaborazione:
i docenti che hanno frequentato i corsi di formazione sulla didattica dell'italiano L2 svolti in questi anni.
Per il sostegno e l'incoraggiamento:
i docenti dell'Istituto Comprensivo Figline Valdarno (FI) e dell'Istituto Comprensivo "Petrarca" di Montevarchi (AR).
Per la traduzione delle icone:
Abdelillah Balboula per la lingua araba, Tone Marashi Mehilli per la lingua albanese, Zheng Danmei e Chiara Sani per la lingua cinese.

Ringraziamo sin d'ora i lettori e i colleghi che volessero farci pervenire eventuali suggerimenti, segnalazioni e commenti sull'opera (da inviare a redazione@edilingua.it)

Da *Piccolo e forte!* a *Forte!* – IL CORSO

Forte! è un corso originale e innovativo per bambini dai 4 agli 11 anni che si avvicinano all'apprendimento della lingua italiana in Italia o all'estero.

Il corso comprende: *Piccolo e forte! A* e *Piccolo e Forte! B* (volumi propedeutici), *Forte! 1*, *Forte! 2* e *Forte! 3*.

La ricchezza dei materiali, le proposte ludiche e la ripresa successiva dei contenuti, presentati secondo un andamento a spirale, rendono il corso adattabile a diversi stili di apprendimento e a diversi contesti d'insegnamento.

Piccolo e forte! A e *Piccolo e forte! B* sono volumi propedeutici al corso *Forte!*

Piccolo e forte! A è indicato per bambini di età compresa fra i 4 e i 6 anni, che entrano in contatto per la prima volta con la lingua italiana attraverso un approccio prevalentemente orale.

Piccolo e forte! B è indicato per bambini di età compresa fra i 5 e i 7 anni, che si avvicinano all'apprendimento della lingua italiana anche scritta.

In base all'età e alla competenza linguistica dei bambini, si può scegliere di utilizzare:
• *Piccolo e forte! A* e poi *Piccolo e forte! B* prima di passare a *Forte! 1*
oppure
• *Piccolo e forte! B* prima di passare a *Forte! 1*.

Dall'esperienza a *Piccolo e forte!* – L'ESPERIENZA

Piccolo e forte! nasce dall'esperienza diretta delle autrici come insegnanti di italiano lingua straniera e come formatrici di docenti della scuola dell'infanzia, primaria e secondaria di primo grado in Italia e all'estero; esperienze nelle quali hanno maturato l'idea di realizzare il materiale del corso, sottoponendolo poi a continua verifica e sperimentazione in classe.

Le scelte – I PUNTI DI FORZA

Il corso si fonda su un'attenta analisi dei bisogni linguistico-comunicativi dei bambini che si avvicinano alla lingua italiana e si sviluppa avendo come punto fermo la loro centralità nel processo di apprendimento-insegnamento della lingua.

Perciò le proposte didattiche, nel rispetto dei diversi stili cognitivi e delle naturali tappe di apprendimento di una lingua, si rifanno essenzialmente a un approccio umanistico-affettivo e a metodologie ludiche.

In questa prospettiva, si è considerata l'importanza della motivazione dei bambini all'apprendimento della lingua attraverso un approccio ludico e coinvolgente. Proprio per rispettare la naturalità dell'acquisizione di una lingua, il corso prevede, nel volume *Piccolo e forte! A*, un primo contatto con l'italiano esclusivamente orale e solo in *Piccolo e forte! B* con l'italiano scritto.

Il corso ha come filo conduttore le divertenti avventure illustrate a fumetti dei piccoli protagonisti di differenti nazionalità, dei loro amici e di alcuni personaggi fantastici.

Premessa

Piccolo e forte! A (per bambini di 4-6 anni)

Il *Libro dello studente* si articola in:

- 1 Unità introduttiva e 6 Unità, introdotte da canzoncine seguite da attività motivanti e dall'ascolto di un breve episodio illustrato a fumetti. Le attività sono accompagnate da uno o più simboli per rendere più chiaro il compito da svolgere;

- 2 Intervalli!!!, con attività e giochi stimolanti e divertenti per il riepilogo delle conoscenze.

- Il tesoro delle parole, un piccolo dizionario per immagini, utile a fissare e richiamare il lessico acquisito*;

- L'angolo del taglia e incolla, con le immagini da ritagliare e utilizzare durante le attività proposte;

- Gioca con le flashcard!, con immagini per realizzare flashcard e giochi come il memory e la tombola*;

- 1 CD audio, allegato, contenente i brani di ascolto, le filastrocche e le canzoni. Come ulteriore opportunità didattica e ludica le canzoni vengono anche proposte con le sole basi, per giocare al karaoke. Inoltre, le canzoni si offrono nuovamente alla fine tutte insieme, in sequenza e senza consegne, per poterle utilizzare nei momenti di festa.

  *Note:
  Il tesoro delle parole costituisce non solo un piccolo dizionario per immagini, ma anche un prezioso bagaglio di parole e formule da "accumulare" via via in un contenitore o in un cartellone, per dare l'idea della conquista e dei progressi.

  Gioca con le flashcard!: per garantire una maggiore durata dei giochi, e la possibilità di replicarli, si consiglia sempre di fotocopiare, ritagliare, incollare le immagini su supporti rigidi (cartoncini o legno compensato) e plastificare.
  Una volta realizzati, questi giochi potranno essere riproposti nel corso delle lezioni anche nei momenti di pausa fra un lavoro e un altro. Ciò servirà a ricordare e consolidare il lessico appreso. Per costruire le tombole è necessario realizzare 3-4 copie di ogni immagine: 1 copia serve per realizzare le tessere da estrarre e le altre per realizzare le cartelle da consegnare agli alunni. Su ogni cartella dovranno essere incollate 4 immagini (possibilmente combinazioni diverse per ogni cartella). Potete vedere un esempio di cartella a pagina 21.

La **Guida per l'insegnante** fornisce spiegazioni dettagliate, indicazioni e consigli per lo svolgimento delle attività e dei giochi. Per ogni unità presenta:

- uno schema dei contenuti, utile anche in fase di programmazione delle attività didattiche;

- attività preparatorie, che servono ad avvicinare i bambini ai contenuti dell'unità;

- attività per il consolidamento e per lo sviluppo delle abilità di base.

È ricca di schede e materiale di lavoro fotocopiabili.

Edizioni Edilingua

Elenco dei Simboli

con traduzione in **inglese**, spagnolo, **francese**, **tedesco**, portoghese, albanese, **cinese** e **arabo**.

 Disegna/Colora; **Draw/Colour**; Dibuja/Colorea; **Dessine/Colore**; **Zeichne/Male aus**; Desenha/Colora; Vizato/Ngjyros; 涂颜色/画画; ارْسُمْ - لوّن

 Scrivi/Completa; **Write/Complete**; Ecris/Complète; **Escribe/Completa**; **Schreib/Ergänze**; Escreve/Completa; Shkruaj; 写; اكْتُبْ - أَكْمِل

 Ascolta; **Listen**; Escucha; **Ecoute**; **Höre zu**; Ouve; Dëgjo; (注意)听; اسْتَمِع

 Ritaglia e incolla; **Cut out and paste**; Corta y pega; **Recoupe et colle**; **Schneide aus und klebe auf**; Recorta e cola; Prej e ngjit; 先剪后粘贴; قصّ وألصِق

 Unisci; **Join together**; Une; **Assemble**; **Verbinde**; Une; Bashkoj; 连接; صِلْ

 Mima; **Mime**; Imita; **Mime**; **Ahme nach**; Mima; Kopjoni; (不出声)以动作表达; قلّد

 Parliamo/Ripeti; **Let's speak/Repeat**; Hablamos/Repite; **Parlons/Répète**; **Wir sprechen/Wiederhole**; Fala/Repete; Flasim/Përserit; 一起说/重复(一遍); لِنَتَحَدّثْ - أعِدْ

 Cantiamo; **Let's sing**; Cantamos; **Chantons**; **Lasst uns singen**; Canta; Këndojmë; 一起唱歌; لِنُغَنّ

 Gioca; **Play**; Juega; **Joue**; **Spiele**; Joga; Lozim; 游戏吧; إلعَب

1 Ascolta e canta: "Ciao!".

2 Ascolta e canta "Ciao!". Completa: Ciao, io sono...

Edizioni Edilingua

 3 Ascolta.

4 Scrivi il tuo nome. Disegna e colora.

 CIAO, IO SONO ....

Gioca con le flashcard!

 1 Canzomimando. Ascolta, canta e mima: "Il mio corpo".

Edizioni Edilingua

2 Ritaglia le figure a pagina 51 e incolla.

 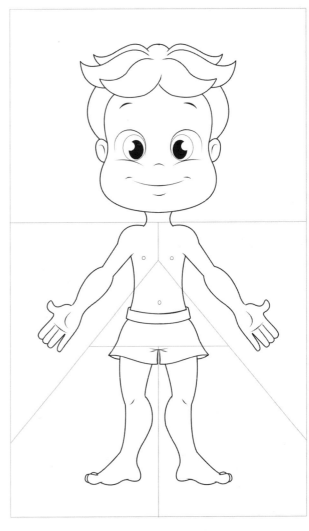

Il mio corpo

3 **Ascolta e colora.**

Edizioni Edilingua

 4 Ascolta e tocca le parti del corpo.

5 Disegna e colora te stesso.

 Gioca con le flashcard!

1 Ascolta e canta: "La mia famiglia".

Edizioni Edilingua

2 Ritaglia le figure a pagina 53 e incolla.

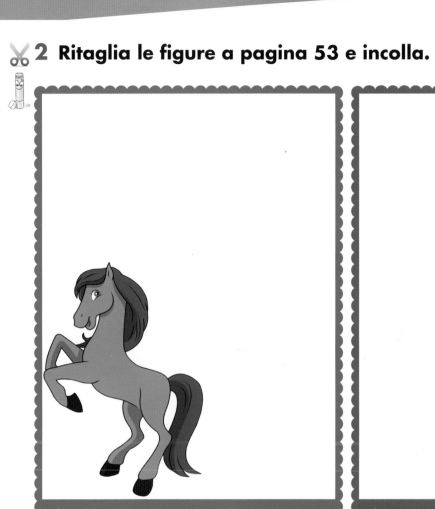

3 Ascolta e colora.

9 **4 Ascolta e unisci.**

 Gioca con le flashcard!

1 Ascolta e canta: "A, B, C".

Edizioni Edilingua

Gioca con le flashcard!

Piccolo e forte!

 **1** Ascolta e canta: "Gli animali".

Edizioni Edilingua

2 Ritaglia le figure a pagina 55 e incolla.

Piccolo e forte!

12 **3** **Ascolta e colora.**

 4 Ritaglia le figure a pagina 57, incolla e gioca.

TOMBOLA DEGLI ANIMALI

 5 Completa e colora.

Gioca con le flashcard!

I colori

🎧 **1 Ascolta e canta: "I colori".**

2 Ritaglia le macchie a pagina 57, incolla e colora.

3 **Ascolta.**

Edizioni Edilingua

 15 **4 Ascolta e colora.**

Gioca con le flashcard!

 1 Ascolta e colora.

Edizioni Edilingua

2 Colora.

Piccolo e forte!

 **1** **Canzomimando. Ascolta, canta e mima: "I numeri".**

✂ 2 Ritaglia le figure a pagina 59 e incolla.

3 Ritaglia i quadri a pagina 61, ascolta e incolla.

1

2

3

4

5

6

Edizioni Edilingua

4 Unisci.

Gioca con le flashcard!

Piccolo e forte!

 1 Canzomimando. Ascolta, canta e mima: "Salta con me!".

2 Ritaglia le figure a pagina 63 e incolla.

3 Ascolta.

4 Ritaglia le figure a pagina 65, ascolta e incolla.

Gioca con le flashcard!

Piccolo e forte!

Il tesoro delle parole

Ciao! Io sono...

Il mio corpo

unità
2

La mia famiglia

Piccolo e forte!

Gli animali

Edizioni Edilingua

I colori

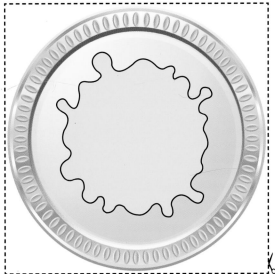

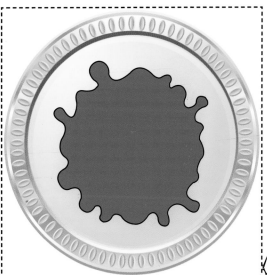

Edizioni Edilingua

unità
5

I numeri

Il tesoro delle parole

unità
6

Giochiamo!

Il tesoro delle parole

Edizioni Edilingua

unità
1

Il mio corpo

2 Ritaglia le figure e incolla. (pagina 9)

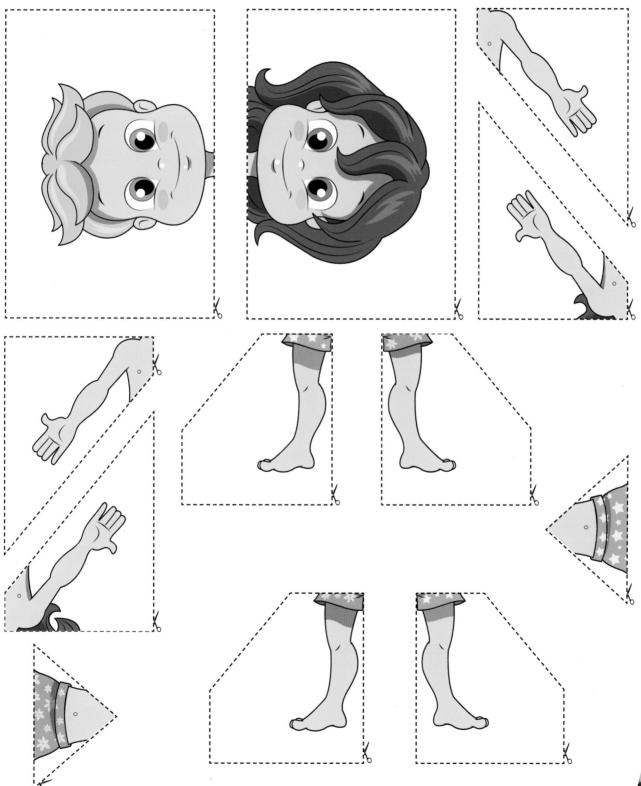

L'angolo del taglia e incolla

La mia famiglia

2 Ritaglia le figure e incolla. (pagina 13)

L'angolo del taglia e incolla

Gli animali

2 **Ritaglia le figure e incolla.** (pagina 19)

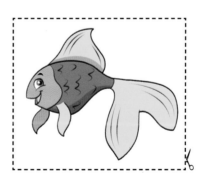

L'angolo del taglia e incolla

4 **Ritaglia le figure, incolla e gioca.** (pagina 21)

unità 4

I colori

2 **Ritaglia le figure e incolla.** (pagina 23)

L'angolo del taglia e incolla

I numeri

2 Ritaglia le figure e incolla. (pagina 29)

  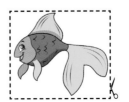

L'angolo del taglia e incolla

3 **Ritaglia i quadri, ascolta e incolla.** (pagina 30)

 unità 6

Giochiamo!

2 Ritaglia le figure e incolla. (pagina 33)

4 Ritaglia le figure, ascolta e incolla. (pagina 35)

unità introduttiva

Ciao! Io sono...

FORTE   PICCOLO

CANTA   ASCOLTA

Piccolo e forte!

COLORA

SCRIVI

CIAO

DISEGNA

MIMA   IO SONO

MANO   CORPO

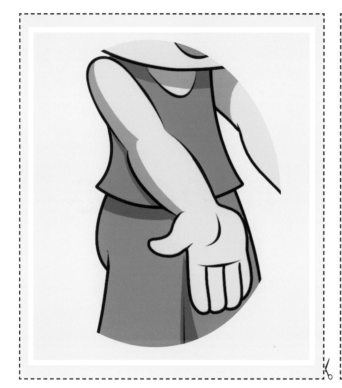

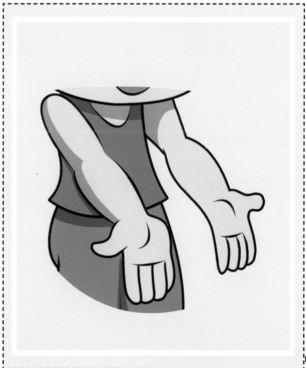

Piccolo e forte!

TESTA   BRACCIO

BRACCIA   MANI

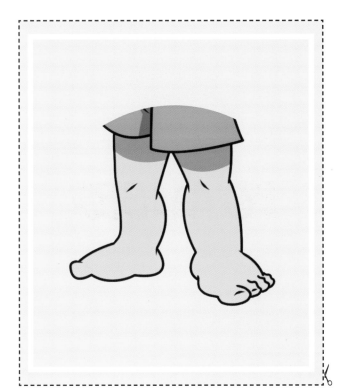

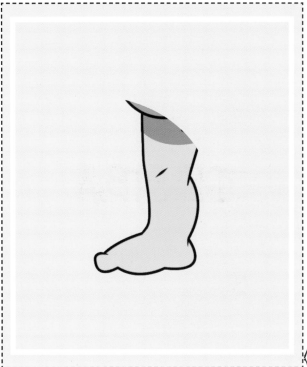

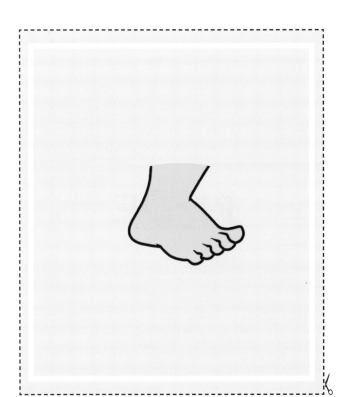

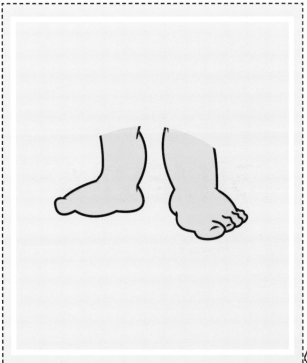

GAMBA   GAMBE

PIEDI   PIEDE

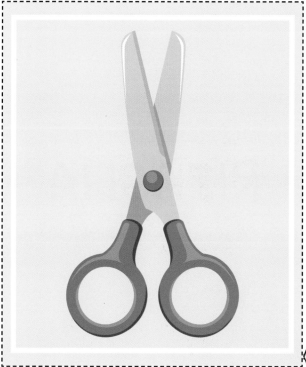

Piccolo e forte!

TOCCA   PANCIA

RITAGLIA   INCOLLA

La mia famiglia

PAPA'

FAMIGLIA

NONNO

MAMMA

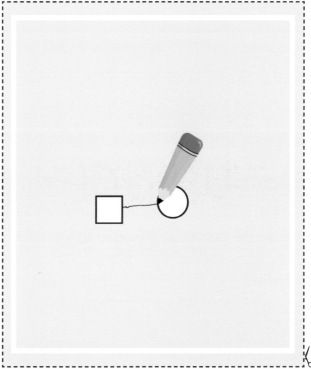

Piccolo e forte!

FRATELLO   NONNA

UNISCI   SORELLA

Edizioni Edilingua

intervallo!!!
1

B b

A a

D d

C c

Piccolo e forte!

F f

E e

H h

G g

L l

I i

N n

M m

P p

O o

R r

Q q

Edizioni Edilingua

Piccolo e forte!

T t   S s

V v   U u

ANIMALI

Z z

GATTO

CANE

Piccolo e forte!

LEONE CAVALLO

TOPO ELEFANTE

I colori

PESCE

ORSO

ROSSO

COLORI

Piccolo e forte!

BLU   VERDE

PAPPAGALLO   GIALLO

Edizioni Edilingua

I numeri

STREGA   MAGO

UNO   NUMERI

Edizioni Edilingua

Piccolo e forte!

TRE

DUE

CINQUE

QUATTRO

Edizioni Edilingua

Giochiamo!

Piccolo è forte!

FAI UN GIRO   SALTA

CHIUDI GLI
OCCHI   BALLA

Piccolo e forte!

FAI CIAO

Indice

osservazione: termine con il quale indichiamo il contatto con forme e locuzioni, nel quale la riflessione metalinguistica viene rimandata a uno stadio successivo dell'apprendimento.

Indice CD audio

Edizioni Edilingua

Forte!

Corso di lingua italiana per bambini

**Livello elementare
(A1–A2)**

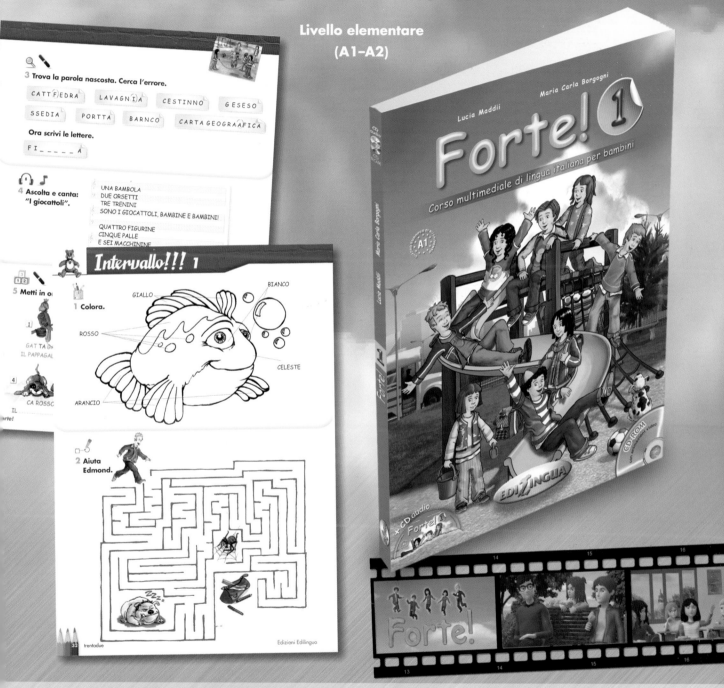

- Libro dello studente ed esercizi + CD audio (con dialoghi, filastrocche e canzoni) + CD-Rom (con cartoni animati in 3D e Karaoke)
- Guida per l'insegnante con memory, tombole e flashcard
- Materiale online: motivanti giochi interattivi e flashcard

Forte
in grammatica!

TEORIA, ESERCIZI E GIOCHI PER BAMBINI

- può affiancare qualsiasi corso di lingua
- 28 unità + 6 test di revisione
- approccio ludico
- esempi linguistici chiari
- incoraggia a formare induttivamente regole grammaticali semplici
- grande varietà di attività
- storia a fumetti di un gruppo di bambini in gita scolastica
- lessico di immediata spendibilità
- chiavi in appendice

prime letture in italiano

collana
RaccontImmagini

Collana in 5 volumi, ogni volume offre 2 storie illustrate.

Ogni storia presenta 30-35 parole, ma anche espressioni e frasi per comunicare in semplici contesti quotidiani, e si conclude con una sezione di attività e giochi.